Homère à l'école des oiseaux

À la maîtresse

ISBN 978-2-211-09607-2

Loi numéro 49 956 du 16 juillet 1949 sur les publications
destinées à la jeunesse : mars 2007
Dépôt légal : juin 2010
Imprimé en France par CPI Aubin Imprimeurs

Jennifer Dalrymple

Homère à l'école des oiseaux

l'école des loisirs
11, rue de Sèvres, Paris 6e

Homère est un petit garçon.
Il est le trésor de ses parents.

Et ses parents l'aiment tant
qu'ils prennent grand soin de lui.
Pour qu'Homère ne se perde pas,
pour que les petites bêtes ne l'embêtent pas,
Ses parents l'accrochent sur le fil à linge,
comme ça, en même temps,
il prend l'air…

Mais un jour, le vent se met à souffler,
fort, si fort…

… qu'Homère est emporté.

Homère voyage, porté par le vent, il voit du paysage…

Puis il atterrit, où ça ?
Au beau milieu d'une école,
une école pour les oiseaux.

« Toi, le nouveau », dit la maîtresse,
« ne fais pas le zozo, et répète la leçon,
comme tes petits camarades :
Cui-cui, tchip-tchip, piou-piou ! »
Mais Homère a beau faire de son mieux,
aucun son ne sort de sa bouche.

« Avec ce bidule dans ta bouche, tu n'y arriveras jamais ! » dit la maîtresse. Et plop ! elle retire la tétine d'Homère.

Et ça change tout, en effet.
« Cui-cui », dit Homère, « tchip-tchip, piou-piou ! »

« Maintenant », dit la maîtresse,
« nous allons apprendre à voler ! »
Les oisillons sont tout excités, et Homère aussi.

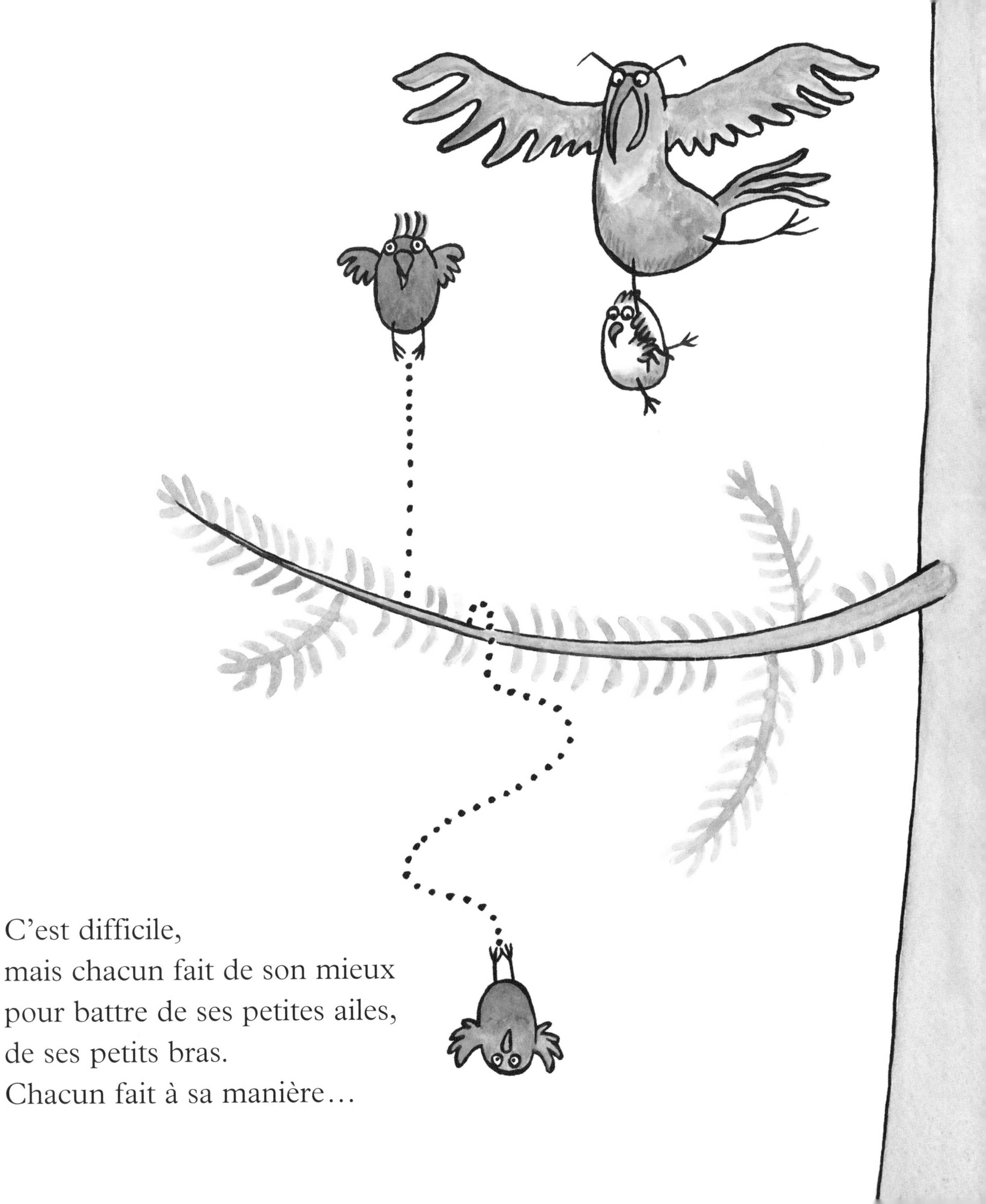

C’est difficile,
mais chacun fait de son mieux
pour battre de ses petites ailes,
de ses petits bras.
Chacun fait à sa manière…

« Félicitations ! » dit la maîtresse, « pour reprendre
des forces, nous allons déjeuner. »
Homère est ravi, depuis ce matin
il s'est fait plein de copains, il a appris
à faire cui-cui et maintenant il découvre
qu'on peut manger les chenilles…
Homère adore l'école !

Mais voilà que l'arbre bouge, il tremble, il se secoue.
Que se passe-t-il ?
« C'est l'ours ! » crie la maîtresse, « sauvez-vous ! »
Et flouf ! tous les oisillons s'envolent.
Mais Homère a beau battre des bras, tortiller ses doigts…
rien n'y fait, il ne s'envole pas !

Homère voit s'approcher
les grosses pattes de l'ours.
« Envole-toi ! » crie
la maîtresse.
« Envole-toi ! » crient tous
ses copains.
Alors Homère se balance,
d'avant en arrière,
et d'arrière en avant.
Puis il se met à tournoyer,
et tournoyer, si vite,
si fort…

… qu'à la fin il se décroche,
et il s'envole !

Et il s'envole si loin, qu'il arrive, où ça ?

Sur le toit de sa maison !
« Papa-Maman ! » appelle Homère.

« Oh, mon chéri », disent ses parents,
« nous nous sommes tellement inquiétés,
nous t'avons cherché partout.
Dire que tu étais si près de nous ! »